L'auteur
Dominique de Saint Mars

Après des études de sociologie,
elle a été journaliste à *Astrapi*.
Elle écrit des histoires
qui donnent la parole aux enfants
et traduisent leurs émotions.
Elle dit en souriant qu'elle a interviewé
au moins 100 000 enfants...
Ses deux fils, Arthur et Henri,
ont été ses premiers inspirateurs !
Prix de la Fondation pour l'Enfance.
Auteur de *On va avoir un bébé*,
Je grandis, *Les Filles et les Garçons*,
Léon a deux maisons et
Alice et Paul, copains d'école.

L'illustrateur
Serge Bloch

Cet observateur plein d'humour
et de tendresse est aussi un maître
de la mise en scène.
Tout en distillant son humour généreux
à longueur de cases, il aime faire sentir
la profondeur des sentiments.

23

24

Lili n'aime que les frites

Série dirigée par Dominique de Saint Mars

© Calligram 1993
© Calligram 1997 pour la présente édition
Tous droits réservés pour tous pays
Imprimé en Italie
ISBN : 978-2-88445-107-9

Lili n'aime que les frites

Dominique de Saint Mars

Serge Bloch

CALLIGRAM
CHRISTIAN GALLIMARD

9

C'est trop dur à la maison ! On vit dans le mensonge, on n'a plus d'argent, Mélusine est insupportable, maman pleure en cachette... Et bientôt, c'est mon anniversaire...

Et à l'école, ça va ?

À ton avis... ? C'est la cata !

Pourquoi tu ne dis pas à ta mère que tu sais tout ?

Comme ça, elle ne se cacherait plus pour pleurer !

Si je le lui dis, elle va s'écrouler, maman ! Elle est trop fragile en ce moment ! Si je ne la protège pas, qui va le faire ?

26

27

... Chaque société établit des règles - les lois - pour que les citoyens vivent bien ensemble. Ne pas tuer, ne pas voler, ne pas faire du mal à autrui...

Est-ce que harceler quelqu'un, c'est faire du mal ?

... Ceux qui ne respectent pas ces règles sont traduits en justice. Ils sont condamnés à la prison quand c'est grave. La société les isole pour les punir et pour se protéger...

Bérénice, arrête de me harceler ! T'as pas entendu ? C'est grave !

Qu'est-ce qui est le plus dur en prison ?

L'enfermement, la privation de liberté... Les détenus qui sont des parents disent que leur vraie peine, c'est d'être séparés de leurs enfants.

Est-ce que les enfants ont le droit de voir leurs parents en prison ?

Moi, ma vraie peine, c'est d'être avec mon père*...

Oui, ils ont un droit de visite. Dans certaines prisons, il y a des appartements pour vivre en famille un jour ou deux.

Scandaleux !

Non ! Faut pas qu'ils soient encore plus démolis à la sortie !

*Retrouve Jérémy dans Jérémy est maltraité.

32

33

34

35

Faudra pas oublier d'envoyer une carte à tonton Jeannot pour sa fête...

Tu crois qu'il l'aura à temps ?

C'est loin, la Chine !

QUELQUES JOURS PLUS TARD...

Tu sais, Lili, c'était peut-être pas une bonne idée d'écrire à tonton Jeannot... Ce n'était pas à nous de le faire... On n'avait pas à s'en mêler...

Mais si ! Il faut parfois mettre les pieds dans le plat !

LE LENDEMAIN...

Max, Lili, j'ai reçu une lettre de papa !

Il m'aime, mon papa ! Il m'a demandé pardon, il pense à moi, il veut que je lui envoie mes notes... J'ai décidé de me remettre à travailler pour qu'il soit fier de moi... Je vais bientôt aller le voir !

J'espère que tonton Jeannot ne va pas vendre la mèche...

UNE SEMAINE APRÈS, AU PARLOIR...

11

Mais mange de la blanquette, elle est délicieuse.

Blanquette ! Rien que le mot me... Beurk !

Je me tue à vous faire des bonnes choses ! Quel gâchis ! Tu le fais exprès !

Moi, les petits plats de votre maman, j'adore ! Pas toi, Max ?

Euh, oui.

13

16

17

19

20

21

On a besoin de manger un peu de tout. On n'est pas des vaches qui ne mangent que de l'herbe ou des lions qui...

Vache à frites !

Toi-même !

23

Lili, c'est maman !
Je ne peux pas rentrer
pour le déjeuner. Je suis
embêtée... Tes copines
vont venir... et je ne
suis pas...

Mais je peux faire
le déjeuner, moi...

Non, tu ne sauras pas.

Mais si !
Je peux le faire,
je prends mon argent
et tu me
rembourseras.

Tiens, il y a une recette
sur la boîte de maïs...
Ajouter des morceaux
de jambon, de gruyère,
des raisins secs, de la salade
et une vinaigrette...
fastoche !

Et des fraises
comme dessert,
miam !

29

30

Salut !

Salut, Lili... Wouah... un pique-nique ! Super !

Berk, il y a de l'ail !

De toute façon, moi, je ne veux que des fraises !

Et moi, que du pain !

31

32

33

37

Ah, il y a longtemps que je n'avais pas eu un dîner aussi agréable !

C'est vrai, au fond, Lili pourrait faire la cuisine tous les jours !

Euh... tu fais de très bonnes choses aussi, maman !

Et je n'ai pas que ça à faire, moi ! D'ailleurs ce serait plutôt à papa et à Max de s'y mettre !

Mmh ?

40

Et toi...
Est-ce qu'il t'est arrivé la même histoire qu'à Lili ?

À TABLE !..

Trouves-tu que rien n'est bon ?
Quels sont les plats que tu détestes ?

Trouves-tu qu'on te donne toujours
trop à manger ?

Manges-tu souvent des bonbons
qui te coupent l'appétit ?

Trouves-tu que les repas sont trop longs,
ou trop pressés ou pas drôles ou pas intéressants ?

Y a-t-il des bagarres autour de la nourriture chez toi ?
Préfèrerais-tu qu'on s'intéresse à autre chose ?

Aimerais-tu faire d'autres choses agréables
avec tes parents ? Jouer, discuter, cuisiner...

Y a-t-il des plats que tu adores ?
Es-tu gourmand ? Goûtes-tu à tout ?

Les repas, chez toi, se passent-ils
dans le calme et la bonne humeur ?

T'intéresses-tu à ce qui est bon pour toi,
à ce dont ton corps a besoin pour se construire ?

Fais-tu parfois les courses
ou la cuisine tout(e) seul(e) ? Avec tes parents ?

As-tu remarqué que les goûts changent
quand on grandit ?

Ajoutes-tu toujours des sauces ou des épices
à tous les plats ?

**Après avoir réfléchi
à ces questions
sur la nourriture
tu peux en parler
avec tes parents ou tes amis.**